D0717725

AVIS DE RECHERCHE

Aujourd'hui est un vilain jour,
la pauvre Lola est dans tous ses états :
son petit Woufi chéri a disparu.
Lola sans Woufi, c'est impossible
à imaginer. D'ailleurs, il suffit
de regarder Lola, pour voir combien
elle se sent triste et seule sans lui,
même si Titou est là pour la consoler.

Ils réfléchissent tous les deux sur
le meilleur moyen de le retrouver.
Un chien, ça ne disparaît pas comme
ça, tout de même !
Ça ne s'envole pas, ça ne vole pas,
bref, on doit pouvoir le retrouver.
Lola et Titou y sont fermement décidés.

Aujourd'hui, c'est dimanche,
alors ça tombe bien, ils peuvent
consacrer toute la journée
à la recherche de leur chien préféré.
Ils ont la ferme intention de ramener
Woufi à la maison avant ce soir et
se lancent dans une sorte de jeu
de piste qui va les mener dans
tous les recoins du quartier.

Lola et Titou mènent l'enquête.
Ensemble, ils sillonnent le quartier et ça paraît grand un quartier quand on est à la recherche d'un petit chien perdu !
Ils questionnent le voisinage et c'est fou le nombre de personnes qu'il y a à questionner quand un petit chien vous quitte brusquement.

Heureusement que Titou accompagne Lola, c'est tout de même plus facile à deux ; et puis avec eux les gens sont charmants. C'est vrai qu'en voyant la triste mine de Lola, on a envie de l'aider du mieux qu'on peut. Mais hélas, personne dans le quartier n'a vu Woufi.

Alors, Titou et Lola passent à l'étape suivante et ils distribuent dans les boîtes aux lettres ou les magasins les affichettes qu'ils ont rédigées et dessinées, avec tout l'amour qu'ils ont pour ce petit chien. Et puis, ils réfléchissent aussi aux activités de Woufi.

Voyons, voyons, retraçons son emploi du temps : quelle est la dernière chose faite en compagnie de Woufi ? Ça devrait nous donner un début d'indice, dit Titou. Lola réfléchit. C'était la promenade au parc ! Oui oui, Lola se souvient très bien de ça !

Et elle se souvient aussi que lorsque Woufi y a croisé Cannelle, ainsi qu'il en avait régulièrement l'habitude, cette dernière n'avait pas son air normal et qu'ils sont restés plus longtemps ensemble que d'ordinaire.

Ah ah, s'écrie Titou, la solution est peut-être là ! Allons au parc de ce pas, et voyons un peu si Woufi n'y est pas revenu ! Mais, au parc, point de Woufi, point de Cannelle, et de toute évidence M. Gérard, l'agent de quartier qui en est le maître, n'y est pas non plus.

Très mystérieux tout ça,
Lola et Titou finiraient presque
par se décourager, lorsque Lola
propose, en dernier recours,
d'aller sonner chez M. Gérard
qui aura peut-être une idée, lui,
de l'endroit où peut se cacher Woufi.

Et quand ils sonnent, ils y croient à peine, mais il leur semble entendre aboyer ! En effet, lorsque M. Gérard ouvre la porte, ce sont deux chiens très joyeux qui se précipitent sur eux. Lola est ravie, elle a retrouvé son Woufi. Mais ce qu'elle ne comprend pas, c'est pourquoi son Woufi s'est retrouvé là alors que d'ordinaire voir Cannelle à l'extérieur lui suffisait.

M. Gérard prend alors Lola d'une main et Titou de l'autre, et dans le salon il leur montre l'explication à tout cela : quatre adorables petits chiots, dont un qui est le portrait craché de Woufi. Lola est très émue, et ravie. Après quoi, Titou et elle n'ont qu'une envie : rentrer à toute vitesse à la maison pour annoncer la nouvelle aux parents de Lola !